ESTOU DIABÉTICO, E AGORA?

Descubra 6 passos simples para lidar com esse desafio e continuar a ter uma vida normal

Fábio Vasquez Pereira

CONTENTS

INTRODUÇÃO

Antes de mais nada, quero te agradecer pela compra deste livro. Pessoalmente, eu me sinto prestigiado e privilegiado pela sua confiança. Ao mesmo tempo, acho que vale a pena você saber quem sou eu e por que quero te ajudar.

Eu me chamo Fábio Vasquez, sou engenheiro de produção de formação e...

"Opa, para tudo! Você não é médico? Como assim?!"

Não, eu não sou médico. Simples assim. Mas você pode ficar tranquilo, pois:

- Tudo o que você vai ler neste livro é consenso na comunidade médica. Pesquisado, registrado e validado, sem teses mirabolantes ou experimentos malucos;

- Tenho 2 médicos na minha própria família que revisaram e também validaram esse conteúdo;

- Por fim, esse não é um livro com linguagem técnica voltado para médicos – ele foi pensado para a pessoa comum, com linguagem mais leve, que acabou de descobrir que está diabética e não sabe o que fazer.

Agora, mesmo não sendo médico, por que resolvi escrever esse livro?

Simples: tenho diabéticos na família. E, pelo menos na época da publicação desse livro, estava perto dos cinquentinha (de "experiência") e sei que preciso me cuidar melhor. Portanto, não vou negar que escrever esse livro também foi uma forma de ficar mais atento comigo mesmo.

Agora, o principal: por que esse livro é importante para VOCÊ?

Primeiro, diabetes é um tema SEMPRE atual. Infelizmente, por mais que a medicina avance na prevenção e conscientização, mais e mais pessoas descobrem estar nessa condição.

Por fim (e o mais importante), normalmente essas mesmas pessoas que "recém" descobrem ser diabéticas se sentem perdidas. Muitas vezes, até desamparadas.

E, não raro, pensamentos muito negativos aparecem. Portanto, a ideia desse livro é ajudar você a dar os primeiros passos para lidar com o diabetes e continuar a ter uma vida normal.

Fixe bem essa palavra: CONTINUAR. Você vai

continuar a fazer as coisas que fazia antes.

"Ah, então posso continuar a comer meus chocolates e tomar minha cervejinha?"

Calma aí, colega! Se você mete a cara no chopp ou encara uma caixa inteira de bombons de uma só vez, claro que vamos ter que fazer uns ajustes.

Mas SIM, dá para você ter uma vida normal com diabetes.

Me acompanha aqui, leia com carinho esse livro e você vai entender o que estou dizendo.

Beleza?

Então vamos para o 1º Passo...

PASSO 1 – "O QUE É QUE EU TENHO DE VERDADE, DOUTOR?"

A ideia desse passo é justamente saber com o que você está lidando.

Então, vamos direto ao que interessa...

A glicose é nossa principal fonte de energia e é uma espécie de açúcar, que corre pelo nosso sangue. O que é o diabetes? Basicamente, é uma condição que afeta a maneira como seu corpo usa essa glicose.

Normalmente, essa glicose consegue entrar nas células do seu corpo e fazer o seu trabalho com a ajuda da insulina – um hormônio produzido pelo pâncreas.

Na prática, o que é então o diabetes? É quando seu corpo não produz insulina suficiente ou não consegue usar direito a insulina que produz. Com isso, a glicose fica no sangue, em vez de ser usada como energia.

Tipo 1 vs. Tipo 2

Existem dois tipos principais de diabetes. O tipo

1 ocorre quando o corpo não produz insulina. Geralmente, isso é diagnosticado em crianças e jovens adultos.

O tipo 2 é conhecido como resistência à insulina e é o mais comum. Ele acontece quando o corpo não usa a insulina adequadamente.

O tipo 2 é mais frequente em adultos, mas também pode aparecer em jovens, e muitas vezes está associado ao estilo de vida e fatores genéticos.

Agora vem a parte feia, mas é importante que você tenha consciência disso: o diabetes não tratado pode trazer uma variedade de consequências bastante sérias (e até fatais), tais como:

- Cegueira;
- Doenças cardiovasculares;
- Problemas neurológicos;
- Problemas nos rins;
- Complicações na gravidez...

Apenas para citar alguns dos principais problemas...

Ao mesmo tempo, também vale dizer que não importa o tipo: o diagnóstico de diabetes não é uma sentença final e sim algo que você pode gerenciar com as abordagens certas.

"O que eu posso fazer, então?"

A gente vai entrar mais fundo nisso daqui a pouco. Mas acho que dá para mandar alguns toques iniciais.

(OBS.: Provavelmente a maioria delas você já ouviu falar ou até procurou na internet. Mas a ideia aqui é mantê-las sempre na sua mente e, principalmente, lembrá-lo de EXECUTÁ-LAS)

- **Alimentação Equilibrada:** Essa é clássica, mas fundamental. As palavras de ordem são "dieta balanceada". Ponto.

"Ok, mas o que é uma dieta balanceada? Vou viver só de folha de alface?"

Calma, dá para você matar a fome sem prejudicar seu corpo...

Divida seu prato em 3 partes: 1) 50% com vegetais e legumes; 2) 25% com proteínas magras (picanha na brasa com 3 kg de gordura não vale!); 3) 25% com carboidratos complexos.

Quer um exemplo? 1) Brócolis com rúcula; 2) Peito de frango grelhado; 3) Arroz integral com feijão (de qualquer tipo) ou quinoa.

- Atividade física: Ela é tão clássica e necessária quanto a dieta balanceada.

Mas você não precisa treinar que nem o Schwarzenegger ou ficar com o corpo da Gisele Bündchen. Alguns alongamentos e a boa e velha caminhada já vão te ajudar, por exemplo.

- Medicação: Não são todos os casos de diabetes que necessitam de insulina; o médico é quem vai dizer. Mas se ele prescrever para você alguma medicação ou insulina, por favor, siga à risca.

Não inventa moda. Essa medicação também vai ser fundamental para manter sua glicose sob controle. Tá certo?

Você entende agora que são passos simples? Que não têm nada de mirabolante?

E só estamos começando...

Então, aproveita a viagem e vamos agora para o...

PASSO 2 – "LEGAL, AGORA SEI O QUE É DIABETES. MAS COMO EU LIDO COM ISSO NO MEU DIA A DIA?"

Beleza, você agora sabe o que é o diabetes e o que ele pode fazer contigo, se você ignorá-lo.

Ao mesmo tempo, você já pode executar algumas ações para lidar com ele.

Só que você precisa de mais do que isso. Você precisa de um PLANO, para que possa incluir algumas ações importantes à sua ROTINA.

E vamos começar agora...

Monitoramento da Glicose

Isso é o "bê-a-bá" de qualquer pessoa que esteja com diabetes: monitorar sua glicose, ou nível de açúcar no sangue, é a chave para entender como diferentes alimentos, atividades e medicamentos afetam seu corpo.

Sem esse monitoramento, você está completamente cego com relação ao que está acontecendo com seu corpo.

Dependendo do tipo de diabetes que você tem, seu médico vai recomendar a frequência com que você deve verificar sua glicose. Para algumas pessoas, isso pode ser várias vezes ao dia, enquanto outras podem precisar verificar menos vezes.

Ter um diário ou um app para registrar essas medições pode ser super útil. Assim, você consegue ver padrões e entender melhor como seu corpo reage a diferentes situações.

Uso de Medicamentos

Lembrando o que falei no 1º Passo: se você precisar de medicamentos ou insulina, é essencial tomar exatamente como prescrito.

Sei que pode parecer complicado ou até chato no começo, especialmente se você não gosta de agulhas e precisa injetar insulina

Mas fique tranquilo: existem muitos recursos e profissionais de saúde que podem ajudar você a se sentir mais confortável com o processo.

Acompanhamento Médico Regular

Manter consultas regulares com seu médico é outro pilar importante. Essas consultas são uma oportunidade para ajustar seu plano de gerenciamento, discutir qualquer preocupação e fazer exames de rotina.

Lembre-se, seu médico é seu parceiro nessa jornada. Não pense duas vezes em fazer perguntas ou comentar o que te preocupa.

Plano Personalizado

Cada caso é um caso e eu não sei qual tipo de diabetes é o seu ou o que levou você a se tornar diabético.

Portanto o objetivo desse livro não é fazer um plano ultra-detalhado para sua rotina.

Mas sim: como comentei acima, você precisa de um plano. E um que se encaixe na sua vida.

E essa necessidade se junta à ação anterior (acompanhamento médico), pois é seu médico quem também pode te ajudar a bolar esse plano.

Seu plano de gerenciamento TEM QUE levar em conta sua rotina, seus gostos e até mesmo seu orçamento. Senão, vai ser um sofrimento segui-lo.

Por exemplo, se você adora praticar esportes, seu plano pode incluir dicas específicas sobre como gerenciar sua glicose durante e após a atividade física.

Da mesma forma, se você tem um paladar exigente ou restrições alimentares, trabalhar com um nutricionista pode ajudar a criar um plano alimentar que você realmente goste e que também seja bom para o seu diabetes.

Deixa eu te dar um exemplo...

Vamos dizer que você trabalha em um escritório e não tem muito tempo para cozinhar durante a semana: já sabendo das suas recomendações alimentares, seu plano pode incluir preparar refeições simples e saudáveis no fim de semana, que você pode levar para o trabalho.

Ou encomendar comidas congeladas saudáveis suficientes para 15 dias, por exemplo - tem gente que prepara e vende "quentinhas" de refeições balanceadas, justamente para quem não tem tempo, paciência ou vocação para cozinhar.

Quer outro exemplo?

Se você precisa de um lembrete para verificar sua glicose, configurar alarmes no seu telefone pode ser uma estratégia simples e eficaz.

(OBS.: pessoalmente, quando estou em casa, gosto

muito do Echo Dot ou Echo Pop – mais conhecidos como Alexa. Além de várias outras coisas, dá para configurar vários lembretes, alarmes e timers – gosto muito)

Lembre-se, o objetivo é criar um plano que se encaixe na sua vida e não o contrário.

O Passo 3 está logo ali...

Então "vambora", minha gente!

PASSO 3 – "A GENTE NÃO QUER SÓ COMIDA..."

Hora do rango!

Mas calma aí, colega. Lembra do que falei sobre não meter a cara no chopp ou encarar a caixa de bombons toda de uma vez?

Pois é... Então segura a onda, que o papo aqui é sério.

E ele vai incluir não só o que você coloca para dentro do seu corpo. Mas, no passo seguinte, também como você gasta essa comida.

Então vamos lá?

Alimentação – O que comer? E como comer?

Já comentei isso antes, mas vale repetir: Não tenho a pretensão aqui de passar para você uma dieta específica e super direcionada, pois cada um tem suas necessidades.

Mas há algumas linhas gerais que, se você segui-las, vão te ajudar a ter um norte.

Equilibre Seu Prato: Eu comentei sobre isso no Passo 1, mas é importante que esse equilíbrio faça parte da sua rotina. Ele é o Método do Prato da

ADA (American Diabetes Association) para criar refeições balanceadas e orienta para a seguinte divisão do seu prato:

- 50% com vegetais e legumes;
- 25% com proteínas magras (de novo: picanha com gordura NÃO É uma boa opção!);
- 25% com carboidratos complexos.

Seguem alguns exemplos:

- Salada de Frango Grelhado com Quinoa e Legumes Variados;
- Filé de Salmão ao Forno com Brócolis e Batata Doce;
- Tofu Mexido com Arroz Integral e Vegetais Salteados.

<u>Carboidratos? Só os Complexos</u>: Prefira fontes de carboidratos complexos como grãos integrais (quinoa, aveia, arroz integral), leguminosas (feijão, lentilhas) e vegetais ricos em fibras. Eles têm um impacto menor nos níveis de glicose no sangue.

<u>Reduza o Consumo de Açúcares Simples</u>: Diminua a ingestão de açúcares encontrados em refrigerantes, doces, e alimentos processados. Eles podem causar picos de glicose no sangue.

<u>Água, água e mais água</u>: Prefira água ou bebidas sem açúcar. A hidratação adequada é crucial para o controle da glicose.

<u>Planeje as Refeições</u>: Ter um plano para suas refeições e lanches pode ajudar a manter seus níveis de glicose estáveis ao longo do dia. Pense antecipadamente no que vai comer, para evitar decisões impulsivas – é mais fácil a gente ter o impulso de comer um doce do que uma folha de alface...

<u>Cuidado com o "olho maior do que a barriga"</u>: Fique de olho no tamanho das porções: isso pode ajudar a controlar a ingestão calórica e manter a glicose em níveis saudáveis.

<u>Fibras são suas amigas</u>: Alimentos ricos em fibras, como vegetais, frutas com casca, grãos integrais e leguminosas, podem ajudar a controlar o nível de glicose no sangue e promover a saciedade.

<u>Escolha Gorduras Saudáveis</u>: Inclua fontes de gorduras saudáveis, como abacate, nozes, sementes e azeite de oliva, que podem ajudar a melhorar o controle do colesterol.

<u>Atenção ao Preparo dos Alimentos</u>: Prefira métodos de cozimento que utilizem menos gordura, como grelhar, assar, cozinhar no vapor ou refogar com pouco óleo. Evite frituras, não somente por causa do controle da glicose, mas por também serem muito calóricas.

<u>Comida para diabético não quer dizer comida sem graça</u>: Use e abuse das ervas e especiarias para adicionar sabor sem adicionar açúcar ou sal. Experimente novas combinações em suas receitas. Você vai ver como é possível comer de forma saudável sem perder o prazer de comer.

<u>Escute Seu Corpo</u>: Aprenda a reconhecer sinais de fome e saciedade para evitar comer demais ou de menos.

Siga essas linhas gerais, pois elas já vão te ajudar bastante. Mas, claro, procure sempre seu médico ou nutricionista, para ajustar sua dieta conforme suas necessidades ou restrições, ok?

Bem... Agora que você já comeu, tá satisfeito, que tal deixar a preguiça de lado e começar a queimar essa comida toda?

Hora de sacudir o esqueleto e ir para o...

PASSO 4 – "EU ME REMEXO MUITO... MEXENDO... MUITO!"

Foi mal, mas não resisti. Eu me amarro naquele Rei Julian, do filme Madagascar. Ele é muito maluco e...

Ok, vamos deixar minhas preferências cinematográficas de lado e voltar ao que interessa...

Aqui vem um dado preocupante... De acordo com o relatório "Diabetes no Brasil" publicado pela Sociedade Brasileira de Diabetes (SBD) em 2022, o percentual de pessoas recém diabéticas que são obesas ou com sobrepeso no Brasil só tem aumentado.

Em 2019, esse percentual era de 80,6%. Em 2020, aumentou para 81,6%. E em 2021, atingiu 82,7%.

Por que estou trazendo isso? Porque o excesso de peso e a obesidade são fatores de risco para o desenvolvimento do diabetes tipo 2 – o tecido adiposo (gordura) produz substâncias que podem causar resistência à insulina

Portanto, para você que acabou de descobrir que

está diabético – principalmente se você leva um estilo de vida mais sedentário –, é CRUCIAL incorporar atividades físicas que sejam seguras, eficazes e com baixo risco de lesões.

Aqui lembro novamente o que comentei no Passo 1: o objetivo não é treinar para virar o Schwarzenegger ou ficar com o corpo da Gisele Bündchen...

...mas sim incorporar alguns exercícios para queimar energia, reduzir um eventual excesso de peso e manter a glicose sob controle.

Então vamos queimar uns pneuzinhos?

Aqui estão três exercícios recomendados para começar, focando em uma rotina suave para os primeiros 30 dias:

1. Caminhada

A caminhada é uma das formas mais acessíveis e seguras de exercício, ideal para quem está começando a mexer o esqueleto... Não precisa de nada além de um par de tênis confortáveis e pode ser feita em praticamente qualquer lugar.

<u>Rotina Sugerida</u>: Comece com caminhadas curtas de 10 a 15 minutos por dia, cinco dias por semana. Aos poucos, aumente a duração para

30 minutos diários. Tente manter um ritmo que acelere um pouco sua respiração, mas ainda permita que você converse.

A American Diabetes Association recomenda 150 minutos de atividade aeróbica de intensidade moderada por semana, como caminhar, para ajudar no controle do diabetes.

2. Alongamentos

Alongamentos ajudam a melhorar a flexibilidade, reduzem o risco de lesões e podem melhorar a circulação sanguínea. São uma ótima forma de começar ou terminar sua rotina de exercícios.

<u>Rotina Sugerida</u>: Dedique 5 a 10 minutos diários para alongar os principais grupos musculares, incluindo pernas, braços, costas e pescoço. Mantenha cada alongamento por 15 a 30 segundos, sem fazer movimentos bruscos.

Segundo o National Institute on Aging, os alongamentos são fundamentais para manter a flexibilidade, o que é especialmente importante para pessoas com diabetes, que podem ter maior risco de rigidez articular.

3. Exercícios de Resistência com o Peso do Corpo

Se você estiver muito pesado, ao menos

vamos usar isso ao nosso favor... Exercícios de resistência fortalecem os músculos, melhoram o metabolismo e ajudam no controle da glicemia. Usar o peso do próprio corpo é uma maneira segura e eficaz de começar, sem a necessidade de equipamentos.

<u>Rotina Sugerida</u>: Inclua exercícios simples como agachamentos, flexões de parede e elevações de cadeira. Comece com 1 série de 8 a 12 repetições para cada exercício, duas vezes por semana. À medida que se sentir mais confortável, aumente gradualmente para 2 ou 3 séries.

A Mayo Clinic enfatiza a importância do treinamento de força para o controle do diabetes, sugerindo que ele pode melhorar a forma como o corpo usa a insulina e diminuir o açúcar no sangue.

Últimos recadinhos...

- Consulte um médico antes de começar qualquer nova rotina de exercícios, especialmente se você tem condições de saúde crônicas. Principalmente cardíacas.

- Hidrate-se adequadamente antes, durante e após o exercício. Água, água e água.

- Monitore sua glicemia para entender como a atividade física afeta seus níveis de açúcar no sangue.

E aí? Tá se sentindo mais leve? Suou um pouquinho?

Agora que cuidamos melhor do "corpitcho", não podemos nos esquecer do que temos acima do nosso pescoço...

A cabeça? Quase isso... Na verdade, é nossa mente...

Vamos para o próximo passo!

PASSO 5 – "ENCOSTA SUA CABECINHA NO MEU OMBRO E CHORA..." OU NÃO...

"Mente sã, corpo são"... Ok, essa frase é mais do que conhecida e batida.

Mas nem por isso deixa de ser verdadeira...

Vamos refletir um pouquinho: no que você pensou quando recebeu o diagnóstico de que estava diabético?

Melhor ainda: o que você sentiu?

Ficou contente? ("Ah, maneiro, estou diabético, que legal!")

Desculpe, mas duvido que seu primeiro pensamento tenha sido tão festivo...

É mais provável que você tenha recebido um baque. E que sentimentos como medo, incerteza e insegurança tenham vindo na sua cabeça.

Mas eu te diria para não se preocupar tanto. Claro, é uma condição diferente. Você tem que tomar certos cuidados e fazer alguns ajustes.

Mas até já vimos alguns deles, agora há pouco. E

não creio que tenham sido coisas mirabolantes ou de outro mundo.

Portanto, senta, respira, esvazia um pouco a cabeça... e vamos pensar no que mais você pode fazer para lidar com o diabetes, ok?

Então vamos lá...

Falar é o Melhor Remédio

Sabe aquele ditado que diz que "falar é o melhor remédio"? Pois é, ele faz todo sentido aqui.

Desabafar sobre o que você está sentindo pode tirar um peso de uma tonelada da cabeça...

Pode ser falar com um amigo, um familiar ou mesmo em grupos de apoio. Muitas vezes, só de saber que não estamos sozinhos já faz uma grande diferença.

Encontrando seu ombro amigo...

Além de amigos e familiares, existem muitas comunidades e profissionais especializados prontos para te apoiar.

Grupos de apoio no estilo dos Alcoólicos Anônimos, sejam online ou presenciais, podem oferecer uma rede de suporte super importante.

Além disso, profissionais de saúde mental que entendem sobre diabetes também podem te ajudar a navegar por essas águas.

Senso de oportunidade

Já que temos um limão, por que não fazer uma limonada?

Ou uma caipirinha?

Não te passou pela cabeça que o diabetes pode ser uma oportunidade?

Me acompanha... Diabetes é uma condição séria? É...
Ele requer alguns ajustes? Requer...
Mas já pensou que ele pode ser um chamado para a ação?

Uma oportunidade para fazer aqueles ajustes que, em algum momento, você teria que fazer de qualquer forma?

Aquela academia que você nunca fez... Ou pagou mas nunca foi...

Aquela reeducação alimentar que você sempre deixava para lá...

Vamos ser sinceros: o ideal é que isso tivesse sido

feito ANTES de chegar ao ponto do diabetes.

Mas é o que temos...

Então, pelo menos é melhor usar essa condição como MOTIVAÇÃO para fazer esses ajustes AGORA...

...do que deixar o diabetes tomar conta de você.

Entendeu?

Agora, por último, mas não menos importante, vamos falar de alguns "brinquedinhos" para gerenciar seu diabetes...

Vamos lá, último round!

PASSO 6 – "MR. GADGET!"

O papo aqui é basicamente esse: quais "brinquedinhos" existem para monitorar e gerenciar o diabetes de uma forma mais fácil e conveniente...

Eu gosto de tecnologia, de novidades eletrônicas, de um "brinquedinho" novo. Para mim, a diferença entre crianças e adultos é o tamanho e o preço de seus "brinquedos"...

Mas também tem o pessoal que prefere as formas mais tradicionais de monitoramento. Seja por perfil. Ou por achar mais simples. Ou até por causa do orçamento, mesmo.

Vamos, então, facilitar para todos os públicos. Acho que o melhor aqui vai ser mostrar quais são as principais formas de gerenciar o diabetes.

Daí, para cada caso, a gente compara a versão "old school" com a versão "tech" e mostra as vantagens e desvantagens de cada um.

Assim, você vai ter tudo o que precisa para escolher o que melhor se adapta à sua necessidade (e bolso). Ok?

Então fica de olho!

Monitoramento da Glicose

Versão "Old School": Monitoramento de Glicose no Sangue (Glicosímetro)

<u>Vantagens:</u>

Acessibilidade: Glicosímetros e tiras de teste são amplamente disponíveis em farmácias. Você encontra praticamente em qualquer lugar.

Facilidade de Uso: Fáceis de usar, permitindo que os pacientes façam o monitoramento em casa ou enquanto estão fora.

Custo: Geralmente, têm um custo inicial menor em comparação com as tecnologias mais avançadas. Dói menos no bolso.

<u>Desvantagens:</u>

Desconforto: Requer picadas frequentes no dedo, o que pode ser desconfortável e desagradável para muitos usuários.

Medições Pontuais: Fornece apenas leituras instantâneas, sem monitoramento contínuo, o que pode não captar flutuações significativas ao longo do dia.

Registro Manual: Os usuários precisam manter

registros manuais de suas leituras, o que pode ser tedioso e sujeito a erros.

Versão "Tech": Monitores Contínuos de Glicose (CGM)

<u>Vantagens:</u>

Monitoramento Contínuo: Oferecem leituras contínuas da glicose, permitindo uma visão mais completa das tendências ao longo do dia e da noite.

Menos Picadas no Dedo: Reduzem significativamente ou eliminam a necessidade de picadas no dedo, aumentando o conforto para o usuário.

Dados em Tempo Real: Alguns modelos enviam dados em tempo real para smartphones ou dispositivos dedicados, facilitando o acompanhamento e a tomada de decisão.

Alertas: Podem alertar o usuário sobre níveis de glicose muito altos ou muito baixos, ajudando a prevenir complicações.

<u>Desvantagens:</u>

Custo: O custo inicial e os custos contínuos com sensores podem ser proibitivos para alguns usuários – o que deixa de doer no dedo pode doer no bolso.

Acesso: Nem todos têm acesso fácil a essa tecnologia, dependendo da cobertura do seguro de saúde ou da disponibilidade no mercado local.

Complexidade: Pode haver uma curva de aprendizado para entender e gerenciar o dispositivo e interpretar os dados coletados.

Resumo da Ópera

Enquanto as formas tradicionais de monitoramento da glicose oferecem simplicidade e acessibilidade, elas podem não fornecer uma imagem completa das tendências da glicose, além de serem invasivas e desconfortáveis.

Por outro lado, as tecnologias CGM representam um avanço significativo, oferecendo monitoramento contínuo e insights mais profundos sobre o controle da glicose, embora com um custo maior e possível complexidade adicional.

Injeções de Insulina

Versão "Old School": Injeções Tradicionais de Insulina

Vantagens:

Acessibilidade: As injeções de insulina são amplamente acessíveis e têm sido o padrão de tratamento por décadas.

Custo: Geralmente, o custo das seringas ou canetas de insulina é menor do que o das bombas de insulina.

Simplicidade: Para alguns usuários, aplicar injeções pode ser mais simples, especialmente para aqueles que estão acostumados à rotina.

Desvantagens:

Frequência de Injeções: Muitos usuários precisam de múltiplas injeções ao dia, o que pode ser inconveniente e desconfortável.

Dificuldade no Ajuste de Dose: Ajustar as doses de insulina para atividades diárias e alimentação pode ser mais complexo, exigindo cálculos precisos e planejamento.

Variações na Absorção: A absorção de insulina pode variar dependendo do local da injeção, afetando a eficácia do controle glicêmico.

Versão "Tech": Bombas de Insulina

<u>Vantagens:</u>

Administração Contínua: As bombas de insulina fornecem uma dose basal contínua de insulina, imitando mais de perto a liberação natural de insulina pelo pâncreas.

Ajuste Flexível de Doses: Você pode ajustar facilmente as doses de insulina com base na alimentação e na atividade física, melhorando o controle glicêmico.

Conveniência: Elimina a necessidade de múltiplas injeções diárias, tornando o tratamento menos invasivo e mais discreto.

Programação de Doses: Permite a programação de diferentes perfis de dose basal para dias específicos ou situações, como exercícios ou doenças.

<u>Desvantagens:</u>

Custo: O custo inicial de uma bomba de insulina e os custos contínuos com suprimentos podem não ser acessíveis para todo mundo.

Manutenção: Requer manutenção regular e monitoramento para garantir o funcionamento adequado.

Risco de Cetoacidose: Se a bomba falhar ou o cateter se deslocar, pode haver um risco aumentado de cetoacidose diabética devido à falta de insulina.

Resumo da Ópera

A escolha entre bombas de insulina e injeções tradicionais depende de vários fatores, incluindo preferências pessoais, estilo de vida, necessidades de tratamento e considerações financeiras.

Enquanto as bombas de insulina oferecem maior flexibilidade e potencialmente um controle glicêmico mais estável, as injeções tradicionais mantêm sua relevância devido à simplicidade e custo mais baixo.

<u>Administração da Insulina</u>

Versão "Old School": Seringas Tradicionais de Insulina

<u>Vantagens:</u>

Custo: As seringas tradicionais geralmente são mais baratas do que as canetas de insulina e seus refis.

Flexibilidade de Dose: As seringas permitem uma

flexibilidade quase ilimitada na escolha da dose, ajustando-se à unidade exata necessária.

Disponibilidade: Você pode encontrar as seringas e frascos de insulina em praticamente qualquer farmácia.

Desvantagens:

Conveniência: Usar seringas requer várias etapas, incluindo a extração de insulina do frasco, o que pode ser inconveniente fora de casa.

Discrição: Injetar insulina com seringas é mais visível, o que pode ser desconfortável em público.

Precisão: Pode ser mais difícil para algumas pessoas puxar a dose exata de insulina, especialmente para aqueles com problemas de visão ou destreza manual.

Versão "Tech": Canetas de Insulina

Vantagens:

Conveniência: As canetas de insulina são pré-carregadas com insulina, tornando o processo de injeção mais rápido e simples.

Discrição: O design compacto e a facilidade de uso tornam as canetas menos visíveis e mais fáceis de usar em público.

Precisão: Muitas canetas de insulina oferecem ajustes de dose precisos, facilitando a administração da quantidade exata de insulina necessária.

Conforto: As agulhas usadas nas canetas de insulina são geralmente mais finas e curtas, proporcionando uma injeção menos dolorosa.

Desvantagens:

Custo: As canetas e os refis de insulina podem ser mais caros do que as seringas e frascos de insulina.

Disponibilidade de Tipos de Insulina: Nem todos os tipos de insulina estão disponíveis em forma de caneta, o que pode limitar as opções para alguns usuários.

Resíduo: Canetas de insulina podem gerar mais resíduos plásticos devido aos refis descartáveis e às próprias canetas, caso sejam do tipo descartável.

Resumo da Ópera

Tanto as canetas de insulina quanto as seringas tradicionais têm seu lugar no gerenciamento do diabetes, e a escolha entre elas depende das necessidades individuais, preferências pessoais, considerações de custo e estilo de vida do usuário.

Enquanto as canetas oferecem maior conveniência, discrição e precisão, as seringas podem ser uma opção mais acessível e flexível em termos de dosagem para alguns usuários.

Acompanhamento dos Dados

Versão "Old School": O Bom e Velho Papel e Caneta

Vantagens:

Simplicidade: Não requerem tecnologia avançada ou conhecimento digital para serem utilizados.

Acessibilidade: Praticamente sem custo, apenas o de um caderno ou folhas de papel.

Controle Pessoal: Algumas pessoas preferem o aspecto tangível de escrever informações manualmente, o que pode ajudar na retenção e no processamento das informações.

Desvantagens:

Análise de Dados Limitada: Difícil de visualizar padrões e tendências sem um processamento e análise de dados mais sofisticados.

Risco de Perda: Diários físicos podem ser perdidos ou danificados, resultando na perda de dados importantes.

Inconveniência: Registrar manualmente cada dado pode ser tedioso e demorado.

Versão "Tech": Aplicativos Móveis para Gerenciamento do Diabetes

Vantagens:

Monitoramento em Tempo Real: Permite o registro instantâneo de níveis de glicose, ingestão alimentar, atividade física e medicação, facilitando o acompanhamento contínuo.

Análise de Dados Avançada: Muitos aplicativos oferecem ferramentas de análise que ajudam a identificar padrões e a ajustar o plano de gerenciamento do diabetes.

Lembretes e Alertas: Os aplicativos podem enviar notificações para lembrar os usuários de medir sua glicose, tomar medicamentos ou mover-se, contribuindo para a aderência ao tratamento.

Compartilhamento de Dados: Facilitam o compartilhamento de informações com profissionais de saúde, permitindo um acompanhamento mais eficaz e ajustes no tratamento baseados em dados concretos.

Educação e Suporte: Alguns aplicativos oferecem informações educacionais e acesso a comunidades online de apoio, fornecendo recursos adicionais para o usuário.

Desvantagens:

Custo: Embora muitos aplicativos sejam gratuitos, alguns podem exigir assinatura ou pagamento para desbloquear todas as funcionalidades.

Necessidade de Dispositivo Compatível: Requerem o uso de smartphones ou tablets, o que pode ser uma barreira se você não tem sem acesso a esses dispositivos ou prefere métodos menos tecnológicos.

Privacidade e Segurança de Dados: Preocupações com a privacidade e a segurança das informações de saúde registradas nos aplicativos podem ser um fator de resistência para algumas pessoas.

Resumo da Ópera

Aplicativos móveis oferecem uma maneira moderna e eficaz de gerenciar o diabetes, com vantagens significativas em termos de análise de dados, conveniência e suporte educacional.

No entanto, os métodos tradicionais ainda podem ser preferidos por pessoas que valorizam a simplicidade ou que têm restrições de acesso à tecnologia.

E aí? O que chamou mais sua atenção?

Os "brinquedinhos" mais tecnológicos? Ou o bom e velho jeito "old school" de fazer as coisas?

Ou, quem sabe, uma mistura dos dois?

Aqui, o que importa é você escolher o que mais se adapta à sua necessidade (seja de conveniência, financeira, etc.) e conforto para o seu dia a dia.

Bem, depois de termos chegado ao final desses 6 Passos, talvez você esteja se perguntando...

"E AÍ? O QUE FAÇO AGORA?"

Eu diria que você tem, basicamente, 2 opções:

Opção 1: Fazer nada...

Você pode ignorar o que foi escrito, achar que tudo não passou de uma leitura agradável (ao menos, espero que tenha sido)...

...e, simplesmente, não aplicar o que foi dito, continuando a fazer o que você fazia – mas não com os ajustes sugeridos.

É uma escolha? Sim. Acho que todos aqui somos bem grandinhos para fazer escolhas e conviver com elas. Mas não é isso o que eu faria...

Afinal, é bem possível que justamente essas escolhas tenham levado você a contrair o diabetes. E, sendo esse seu caso, temo pelo seu bem-estar físico e mental se você continuar com elas...

Mas também temos a Opção 2: Aplicar as sugestões desse livro...

Entenda bem: você certamente já percebeu que esse não é um livro voltado para médicos, com linguagem ultra técnica, específica e indo até o último detalhe de tudo o que você tem que fazer...

Mas o objetivo nunca foi esse. A ideia foi dar um guia, um primeiro direcionamento para quem acabou de descobrir que está diabético – e se sentiu meio perdido com isso, sem saber o que fazer.

E se você leu até aqui, imagino que esse seja o seu caso.

Você não precisa aplicar todos os passos na ordem certinha. Talvez, o ideal seja até você aplicá-los todos ao mesmo tempo, pois é uma mudança de rotina em diversos aspectos.

Mas APLIQUE! Não deixa para depois. É sua saúde que está em jogo, tanto física quanto mental.

Para que, justamente, você consiga levar uma vida normal, como antes.

Entendeu?

Novamente, agradeço por ter chegado até aqui. E, se quiser saber mais, é só dar uma passadinha no meu Instagram.

Acesse: **@fabiovasquezcopywriter**

Garanto que não vai doer (certamente bem menos do que uma picadinha no dedo...).

Forte abraço e até a próxima!

www.ingramcontent.com/pod-product-compliance
Lightning Source LLC
Chambersburg PA
CBHW071001250726
48663CB00002B/330